Café Kassit — Photographs

Barry Frydlender

The Israel Museum
Jerusalem

The Israel Museum Jerusalem

The exhibition and catalogue were sponsored by:
Mr. Hans Clapper, N.Y.
Mr. & Mrs. Daniel Cowin, N.Y.
Mr. & Mrs. Harvey Krueger, N.Y.
Mr. Noel Levine, N.Y.
Mr. & Mrs. Robert Menschel, N.Y.
Mr. David C. Ruttenberg, Chicago
Drs. Paul & Harriet Willenski, N.Y.

Curator in charge: Nissan N. Perez

Catalogue design: Ora Yafeh
Graphics: Riki Kibel
Editing: Judy Levy, Malka Jagendorf

Typsetting: El-Ot ltd.
Colour separation: Scanli ltd., Tel Aviv
Plates: Tafsar ltd., Jerusalem
Printed by Sabinsky ltd,. Tel Aviv

Catalogue no. 266, Fall 1985
ISBN 965 278 041 3

N
7279
F8
1985

Barry Frydlender's Café Kassit: a Myth and a Tradition

Every big city, every cultural center in the world, has its myths and traditions. Paris, for instance, the melting pot of the arts in the 1920's, created a "café society" culture, which eventually became almost a legend. Stories about the Café de Flore, Les Deux Magots or La Coupole, adorn every book on the art and artists of those years. These names became institutions.

Tel Aviv, the budding metropolis on the shores of the Mediterranean, was busy creating its own artistic culture and its own institutions on the eve of World War II, long before the state of Israel was born. Since French art so deeply influenced the new Eretz Israel art of the 1930's, it was natural that a similar café culture would develop in the area, to some extent copying the Parisian fashion. Soon, places like Ararat, Sheleg Halevanon (the snows of Lebanon) and Kassit, became the meeting place of all the writers, poets, artists, bohemians, and other colourful characters.

Over half a century later, Café Kassit is still an important focus of the intellectual subculture of Tel Aviv, and the younger generation sits for hours and days in the place once patronized by Shlonsky, Lea Goldberg and others, trying to perpetuate a myth. Long stories have been told about Kassit and its patrons: legend even has it that Dizengoff Street, the heart of Tel Aviv, was built around it.

One of the regulars of Café Kassit is the young Tel Aviv photographer Barry Frydlender. Lean, with tormented features, Frydlender at thirty-one has already a long career behind him. A photojournalist at seventeen, he became an army photographer during his service years, and then studied film at Tel Aviv University, finally coming back to still photography.

By assigning himself a documentary project on Kassit, based on his long familiarity with the place and its people, Frydlender was unconsciously following the artistic and photographic tradition of documenting contemporary places and people. Daumier, Manet, Lautrec, Brassaï in Europe, Gutman and Korbman in Israel, are just a few among many who have done so before him. Frydlender's subject and approach are closest to Brassaï's series on Paris café life of the 1920's. Both photographers' images are an in-depth look at a certain subculture, in a specific situation and environment, and the fact that these images were taken fifty years apart does not make them different, but rather situates them in the same tradition. While Brassaï, in tightly composed photographs, makes a general statement (after all he was a foreigner living in Paris), Frydlender tackles the myth of Kassit from within and through it draws a portrait of a small section, one little facet of Israel today. Yet his images are a simple verification, a statement of fact, rather than a social critique or a value judgement. They are a documentation of social symbols. Frydlender does not try to determine anything, he just calls something forth. This denotative act could be compared to some extent to the images of Garry Winogrand taken in the sixties. The two photographers have a lot in common, and their images follow the tradition of Cinéma-Vérité. Yet their approach is different. Winogrand's brutality and ferociousness are replaced in Frydlender's work with humanity and compassion. This is all the difference between the insider, who is empathetic to the people, and the cold objective outsider who comes to record people and happenings on film just "to see how it will look when photographed", taking advantage of the ambiguity created by forcing people into frames and thus generating new relationships of form and presence.

In approaching his subject, Frydlender chose his tools and technique with utmost care, making sure not to leave any loose ends and to remain in total control of his images at all times. His only surprise came at the end: Kassit really does look like a Parisian café.

Frydlender's work at Kassit on Friday afternoons and evenings was not easy. Although he was a familiar face, he had to struggle to be accepted and to impose himself as a photographer there. Once he overcame this difficulty, his being part of the scene made possible the natural look of the images. There are no special performances for the camera or for the sake of the image.

Frydlender was not out to photograph celebrities in the paparazzi fashion. Most of the people in these images are familiar to the Israeli viewer, because they are well known figures on the artistic and intellectual scene, and part of Israeli folklore. The photographer is not singling out anyone in particular, but is using them all to prove a point: that there is no real bohemian life any more. The myth remains, but what exists today in reality is only an ersatz of what it used to be.

Indeed, a basic sadness pervades most of the images; a strong feeling of alienation dominates each frame. Although these people are sitting and drinking and talking there seems to be no contact between them. It is as if we were attending a party of "group solitude", which brings to mind Meir Wieseltier's poem "Friends":

> They sit and they stand and they
> drink in an ancient hope
> And the soul, emptied of its
> essence, begs to become sweet,
> Somebody gives you a stare as if
> he were sending you a message.

Each of the people at Kassit seems to be locked in his own tiny bubble, to be performing, displaying a certain pattern of behaviour consistent with his public image, and what is expected of him. It is a perpetuated ritual and, as in most cases, it is a habit whose origin is long forgotten. The projected image of the jaded Tel Aviv intellectuals strikes a false note. They want to be the new Shlonskys and Lea Goldbergs, but they are not. They are a different generation, and they will never be able to recapture the atmosphere of days gone by. They are native-born Israelis, and there lies the difference. No matter how much they rehearse, they can never perform the original play.

The intelligent eye of Barry Frydlender has captured the essence of this drama and locked it within his lyrical images. His photographs maintain a delicate balance between the emotional and the intellectual, allowing the viewer to participate in the Kassit experience at both levels. Photographer and subject are kindred spirits, and naturally, the latter want to be photographed as much as the former wants to take the photographs. In some images the eye contact created between the photographer and the photographed reminds us of Wieseltier's "message."

The act of photographing seems to be a reaching out, and the subjects often look grateful for being noticed. In many other cases, they are so isolated in their own universe that nothing around·them seems to exist. The subjectivity of the photographer is balanced by the cold objectivity of the camera which brings forth a reality for us to interpret. As Daumier said: "Photographs describe everything and explain nothing." Playing with colour, movement, sharpness and blur, and without obliterating the familiar poetry of objects and faces, he keeps his images swaying between dream and reality. Using delayed flash and blurring part of the image, in each picture Frydlender separates the main "actor" from the "stage". All secondary and less relevant information in the photographs is of equal importance to the central figure, but does not interfere with it. The environment asserts its presence yet remains unobtrusive, like the accompanying instruments behind the soloist's violin in a concerto. And in Frydlender's case, it is indeed a full symphonic orchestra playing in colour and movement and in depth and human interest. Though we can identify the individual elements and appreciate them separately, it is in the ensemble that we hear the entire creation.

Frydlender's background in film is clearly discernible in these images. The photographs are like stills from a movie, and at times it even seems that although the central figure in each is standing still, isolated from the rest of the world, life and movement go on in the background. The vibrant colour of the images is further enhanced by the blur and movement. Cézanne's theory of the "logic of colour" to which the artist owes his obedience, does not apply to Frydlender nor to photography in general, since in real life there is no logic in the way colours arrange themselves; they are random and sometimes discordant and illogical, and often technically uncontrollable. Yet Frydlender is not daunted by reality. He bends and distorts, isolates and assembles to create visually and emotionally powerful images. As André Malraux wrote, "The great artist is not the transcriber of the world, he is its rival."

Barry Frydlender is an Israeli whose life and work are inextricably bound to his country. Every one of his photographs is a statement, a testimony to his sense of belonging. "Israel is important to me," he says. "If one day I had to leave, these photographs are the only thing I would take with me." Indeed, these photographs may not be the whole of Israel, but they are Israel.

Nissan N. Perez

Barry Frydlender / 82

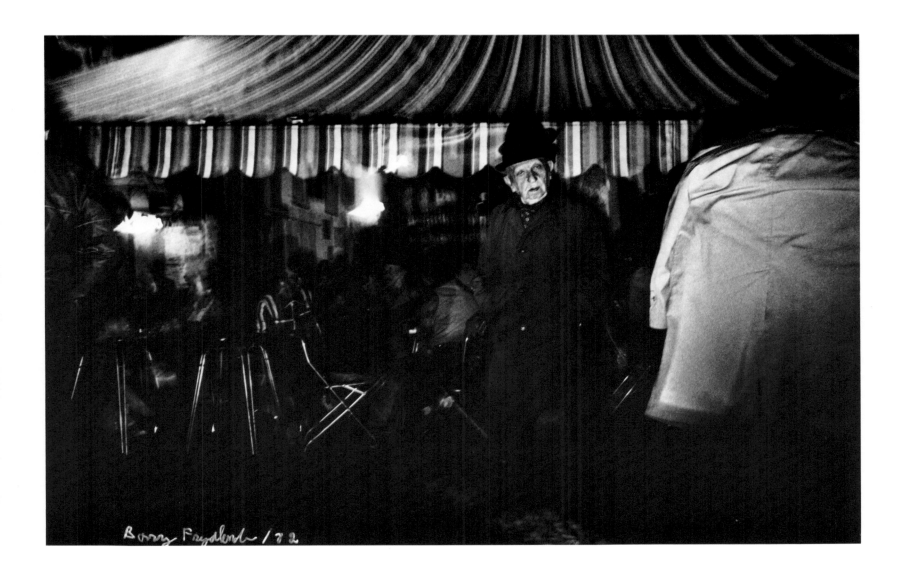

Barry Frydlender / 82

Bruce Gilden 19

Barney Freedman '82

Barry Frydlender '82

משלום עם מצרים
לשלום עם הפלסטינאים
ממדינת בורסה לשוויון
ישעיהו ליבוביץ
אורי אבנרי
חיים ברעם
רן כהן
מתי פלד
מאיר פעיל
ואליד צאדק

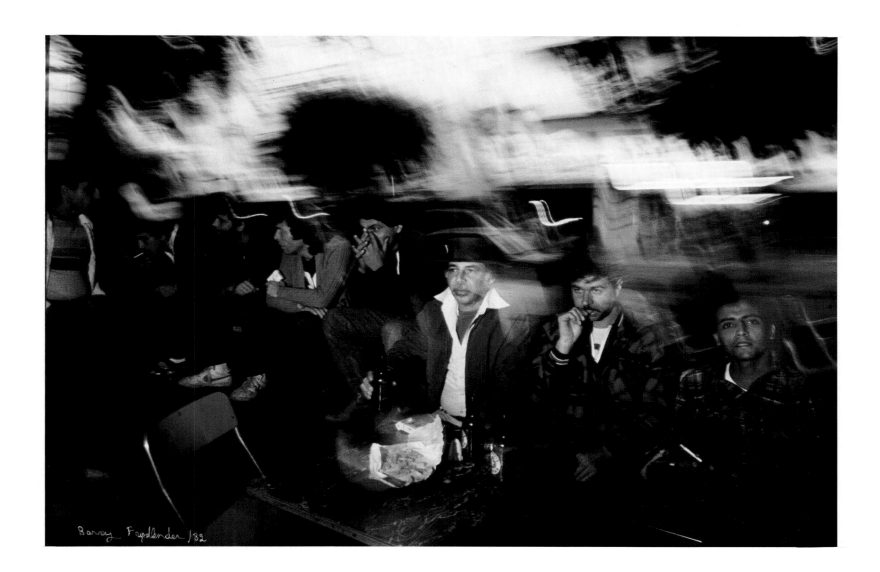

Barry Frydlender /82

jennifer bar lev

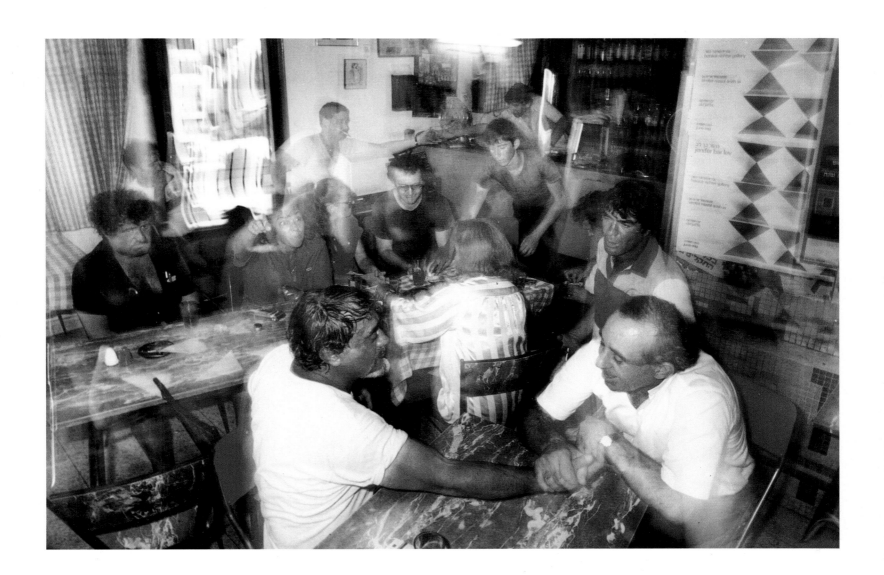

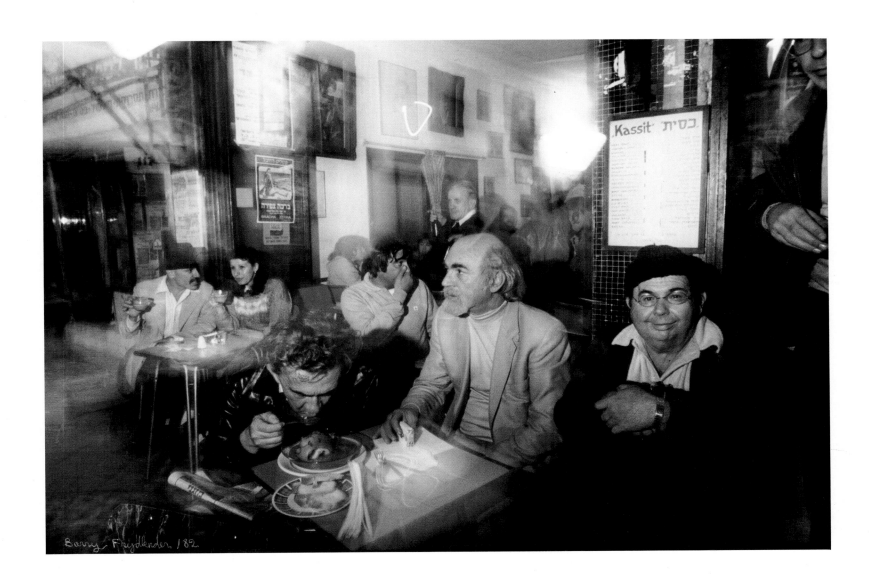

Kassit
כסית
Barry Frydlender '82

KASSIT
RESTAURANT

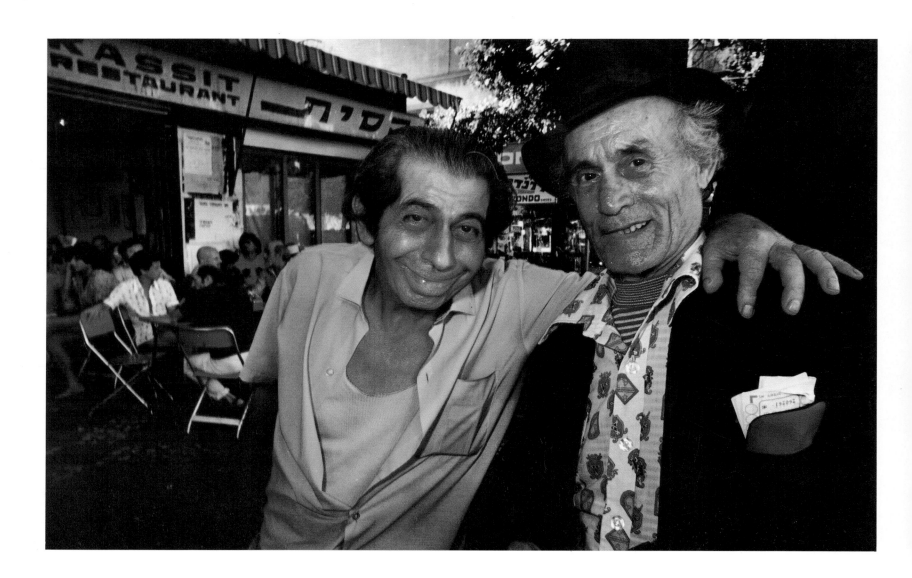

jenifer bar lev

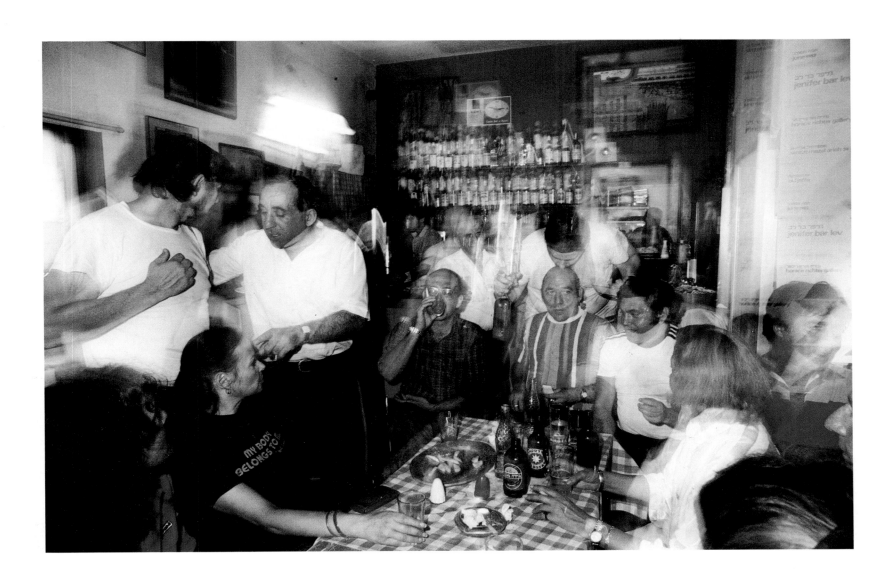

Barry Frydlender '82

כסית

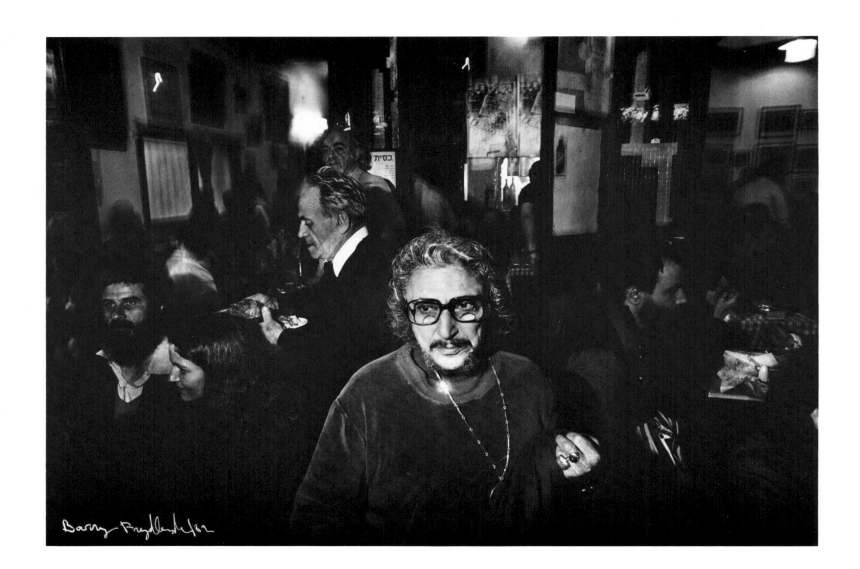

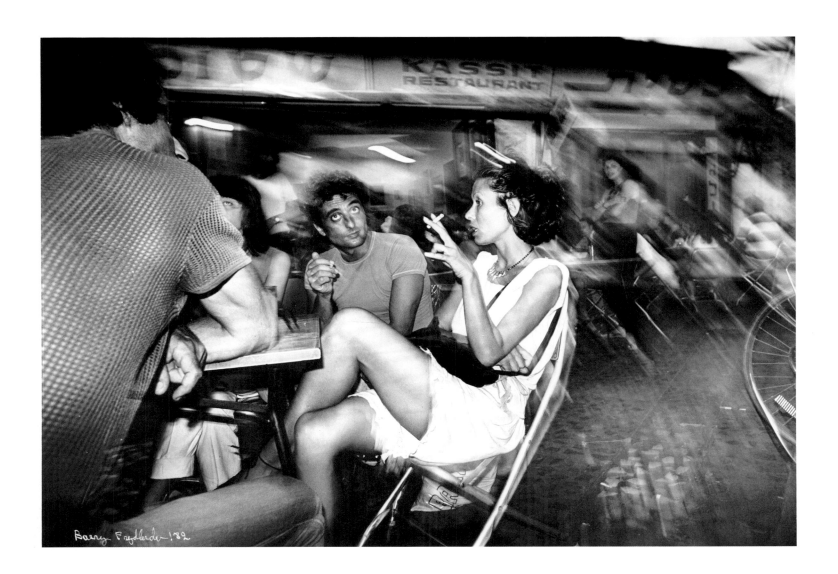

RESTAURANT
Barry Frydlender '82

Barry Frydlender '82

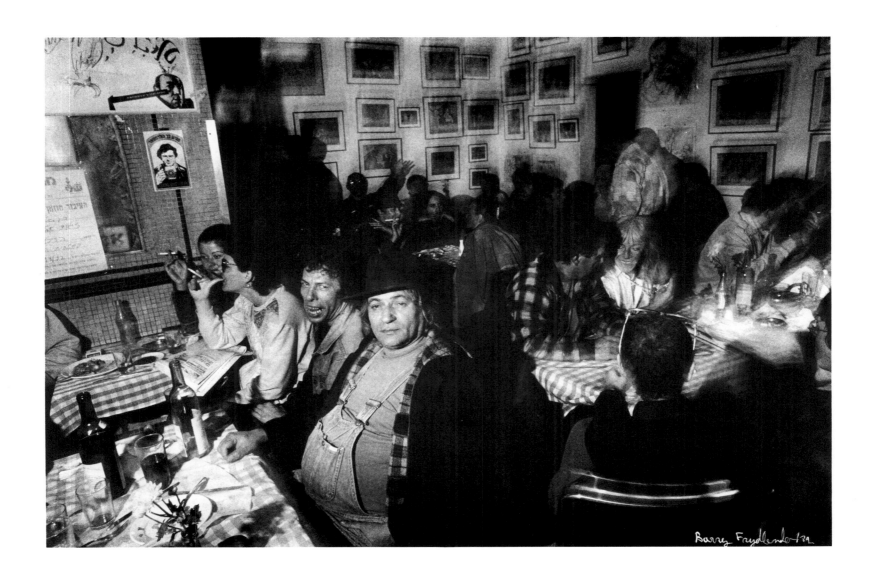

Barry Frydlender

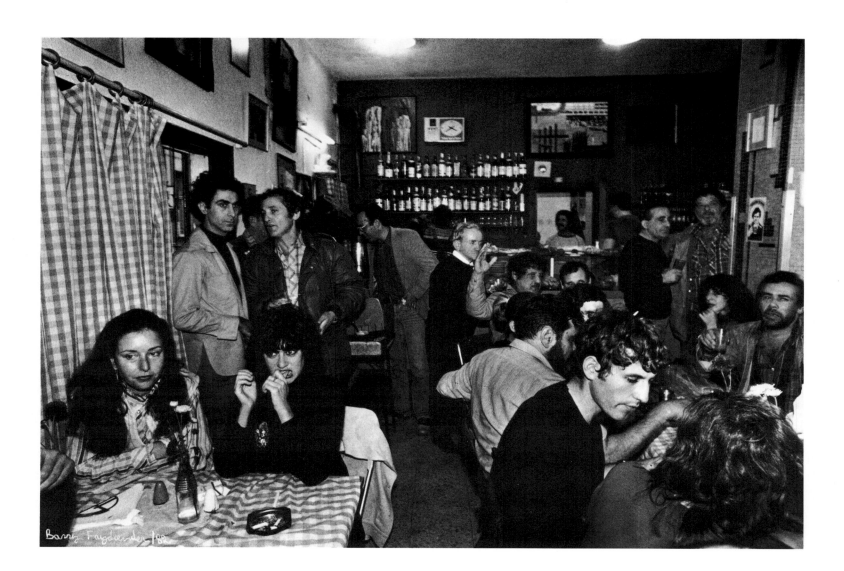

Barry Frydlender /82

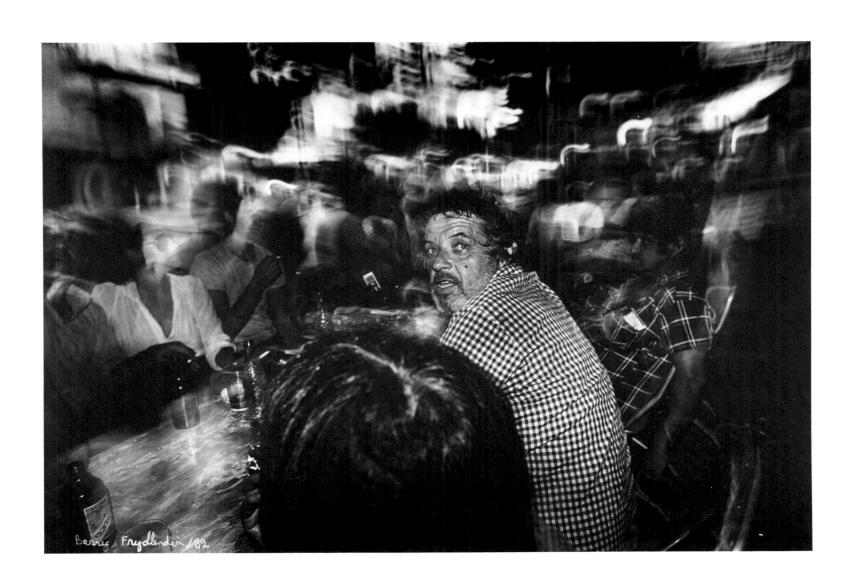

Barry Frydlender /82

אכן, ברוב הצילומים שוררת עצבות בסיסית; תחושה חזקה של ניכור שולטת בכל תמונה. אף על פי שאנשים אלו יושבים, שותים ומשוחחים יחדיו, נדמה שאין כל מגע או קשר ביניהם. כאילו אנו משתתפים במסיבה של "בדידות קבוצתית", המעלה אל סף הזיכרון את השורות של מאיר ויזלטיר בשירו "ידידים":

יוֹשְׁבִים וְקָמִים וְשׁוֹתִים בְּתִקְוָה וְתִיקָה,
וְהַנְּשָׁמָה שֶׁרוֹקֵן עֲסִיסָהּ מִתְחַנֶּנֶת לִהְיוֹת
מְתוּקָה,
מִישֶׁהוּ נוֹתֵן בְּךָ מַבָּט כְּאִלּוּ שֶׁנָּתַן לְךָ
פִּתְקָה.

כל אחד מהאנשים בכסית נראה נעול בתוך בועה אישית זעירה, והוא משחק ומראה תבנית התנהגות מסוימת, כיוון שהוא חייב להיות דומה לתדמיתו הציבורית, כיוון שמצפים ממנו להיות כך. זהו פולחן שנמשך, וכמו במקרים רבים, הופך להרגל ומתקיים מתוך שכחה גמורה של מקורותיו. התדמית של האינטלקטואל התל־אביבי "המשופשף" מוקרנת על־ידי כל אחד מאנשים אלו, וצורמת כצליל מזויף. הם רוצים להיות השלונסקים והלאות גולדברג בני־זמננו, אך אינם. הם דור אחר, ולעולם לא יצליחו לשמר או לשחזר את האווירה של ימים עברו. כולם נולדו בארץ, וכאן אולי טמון ההבדל העיקרי. גם אם יעשו חזרות שוב ושוב, לעולם לא יהיה זה המחזה המקורי.

העין החכמה של ברי פרידלנדר לכדה את מהות הדרמה הזאת בצילומיו הליריים. תמונותיו שומרות על איזון עדין בין הרגשי והאינטלקטואלי, ומאפשרות לצופה השתתפות בחוויית כסית בשני המישורים. צלם ומצולם הם רֵעים, ובדרך טבעית ביותר האנשים רוצים להצטלם באותה מידה שהוא רוצה לצלמם. בחלק מהצילומים, קשר העין שנוצר בין צלם למצולם מזכיר לנו את ה"פתקה" של ויזלטיר.

האקט של צילום מתפרש כהושטת יד, והמצולמים נראים אסירי תודה על כך שמבחינים בהם. במקרים אחרים הם מבודדים בעולמם הפרטי, ונדמה שלגביהם הסובב אינו קיים יותר. הסובייקטיביות של הצלם מאוזנת על־ידי האובייקטיביות הקרה של המצלמה, אשר מדגישה מציאות מסוימת שעל הצופה לפענחה. כפי שכבר אמר דומייה, "צילומים מתארים הכל, אך אינם מסבירים דבר".

רוב האנשים שבצילומים אלו הם חלק מהפולקלור הישראלי. אף כי את רובם קל לזהות, פרידלנדר אינו מבודד אף אחד במיוחד. בהשתמשו בעת ובעונה אחת בצבע, בתנועה, בחדות ובטשטוש, הוא שומר את תמונותיו מתנדנדות בין חלום ומציאות, בלי לבטל את הפיוטיות היומיומית של פנים וחפצים.

השימוש במבזק עם השהיה והטשטוש של חלק מהתמונה מפרידים בכל אחת מהן את ה"שחקן העיקרי" מה"במה". כל האינפורמציה המשנית והפחות רלוואנטית בצילומים הופכת לשוות־משקל עם הנושא העיקרי, אך בלי להפריע לו. הסביבה מכתיבה את נוכחותה, אבל נשארת ברקע, ממש כמו הכלים המלווים את כינורו של הסולן בקטע של מוסיקה. ובמקרה של פרידלנדר זו אינה מוסיקה קאמרית, אלא תזמורת סימפונית שלמה, המנגנת בצבע ובתנועה, בעומק ובהשתתפות אנושית. ושוב, כמו במוסיקה, אפשר לזהות את האלמנטים האינדיווידואליים, כמו את הכלים הבודדים, וליהנות מכל אחד מהם בנפרד, אך רק במנגינה המשולבת אנו שומעים את היצירה בשלמותה.

הרקע הקולנועי של פרידלנדר מורגש בבירור בתמונות אלו. הן כמו צילומים בודדים מתוך סרט, ולפעמים נדמה אפילו שלמרות שהשחקן הראשי אינו זז, עומד קפוא ומנותק מהעולם, החיים והתנועה ברקע נמשכים. הצבע הרוטט שבתמונות מודגש עוד יותר על־ידי הטשטוש והתנועה. התיאוריה של סזאן על "הגיון הצבע", שכל אמן צריך להיות כפוף אליו, אינה תופסת לגבי פרידלנדר או לגבי הצילום בכלל, כיוון שבמציאות אין הצבעים מסדרים את עצמם באופן הגיוני. הם באים בצירופים מקריים, דיסקורדאנטיים, לא הגיוניים, ולעתים בלתי־ניתנים לשליטה מבחינה טכנית. ובכל זאת, פרידלנדר אינו נכנע למציאות. הוא מכופף אותה, מעוות, מפריד ומחבר כדי ליצור צילומים בעלי עוצמה חזותית ורגשית. כמו שכתב אנדרה מאלרו: "אמן גדול אינו מעתיק את העולם, הוא מתחרה בו".

ברי פרידלנדר הוא ישראלי, יליד הארץ, החי את ארצו, וכל אחד מצילומיו הוא אמירה. תמונותיו הן־הן חייו כאן, ועדות להשתייכותו למדינה, ומכאן הקשר החזק שלו אליהן. "ישראל חשובה לי," הוא אומר. "אם אי־פעם איאלץ לעזוב, זה מה שאני אקח אתי." צילומים אלו אולי הם לא ישראל כולה, אך הם ישראל.

ניסן פרץ

קפה כסית של ברי פרידלנדר: מיתוס ומסורת

לכל עיר גדולה, לכל מרכז תרבות בעולם, מיתוסים ומסורות משלהם. פאריס, למשל, שהיתה כור ההיתוך של האמנויות בשנות העשרים, יצרה תרבות של "חברת בתי־קפה", שהפכה במרוצת הזמן לאגדה כמעט. סיפורים על "קפה דה פלור", "לה דה מאגו" או "לה קופול" מעטרים כל ספר על אמנות, או על אמנים, של התקופה ההיא. שמות אלו נהפכו למוסד.

ערב מלחמת העולם השנייה, הרבה לפני הקמת מדינת ישראל, היתה תל־אביב, המטרופוליטן בצמיחה על חוף הים התיכון, עסוקה ביצירת התרבות האמנותית והמוסדות של עצמה. כיוון שהאמנות הצרפתית השפיעה עמוקות על האמנות הישראלית של שנות השלושים, טבעי היה שתתפתח באזור גם תרבות של בתי־קפה, במידה מסוימת כחיקוי של האופנה הפאריסאית. עד מהרה הפכו מקומות כמו "אררט", "שלג הלבנון" ו"כסית" למקומות מפגש של כל הסופרים, משוררים, אמנים, בוהמיינים וטיפוסים ססגוניים אחרים.

היום, אחרי יותר מחמישים שנה, קפה כסית הוא עדיין מוקד חשוב של התת־תרבות האינטלקטואלית של תל־אביב, והדור החדש יושב שם שעות וימים, באותם המקומות שבהם ישבו בזמנו שלונסקי, לאה גולדברג ואחרים, ומנסים להנציח מיתוס. סיפורים רבים סופרו על כסית ויושביה, והאגדה אומרת אפילו, שרחוב דיזנגוף, לבה של תל־אביב, נבנה סביבה.

אחד ה"קבועים" של קפה כסית הוא הצלם התל־אביבי הצעיר ברי פרידלנדר. דק־גזרה, פניו המתוחים מעידים על מוח טרוד, נושא עמו פרידלנדר, בגיל 31, קריירה ארוכה: צלם עיתונות בגיל 17, צלם צבאי בתקופת שירות החובה שלו, למד קולנוע באוניברסיטת תל־אביב – וחזר, לבסוף, לצילום סטילס.

כשנטל על עצמו את משימת התיעוד של קפה כסית, על בסיס היכרותו הארוכה עם המקום ואנשיו, המשיך פרידלנדר, שלא ביודעין, מסורת ארוכה של אמנים וצלמים שתיעדו אנשים ומקומות בני־זמנם. דומייה, מאנה, לוטרק, בראסאי באירופה, גוטמן וקורבמן בישראל, הם רק אחדים מן השמות ברשימה ארוכה של אמנים שעשו זאת. נושא הצילומים של פרידלנדר וגישתו מקרבים אותו במיוחד לבראסאי ולסדרת התמונות שלו של בתי־קפה פאריסאיים בשנות העשרים. אצל שני הצלמים, בראסאי ופרידלנדר, הצילומים הם מבט לעומק אל תוך תת־תרבות מסוימת, בסביבה ובמצב מוגדרים, והעובדה שהצילומים שלהם נעשו במרחק זמן של חמישים שנה אינה מקנה להם שוני, אלא ממקמת אותם באותה מסורת אמנותית. בעוד שבראסאי, בצילומים בעלי קומפוזיציה הדוקה, יוצא באמירה כללית (ככלות הכל, הוא היה זר שחי בפאריס), פרידלנדר מתמודד עם המיתוס של כסית מבפנים, ובאמצעותו מצייר דיוקן של חלק קטן, של פן אחד של ישראל היום. הצילומים האלו הם בדיקה פשוטה, כעין הצהרת מצב, ולא ביקורת חברתית או שיפוט ערכים. זהו תיעוד של סמלים חברתיים. הוא אינו מנסה לקבוע דבר, אלא רק מבליט משהו.

את ההצבעה, הדנוטאציה, הזאת אפשר להשוות לעבודתו של גארי וינוגראנד וצילומיו משנות השישים. הרבה נקודות משותפות לשני הצלמים, וצילומיהם הולכים במידה רבה בעקבות המסורת של־ cinéma vérité. ובכל זאת גישותיהם שונות. את מקום האכזריות והפראיות של וינוגראנד תופסות האנושיות והחמלה. זה ההבדל בין האיש מבפנים, בעל האמפאתיה כלפי האנשים, ובין הזר הקר והאובייקטיבי, אשר בא לקלוט על סרט־צילום אנשים והתרחשויות רק "כדי לראות איך זה נראה כשמצלמים אותם", תוך ניצול הדו־משמעותיות הנוצרת כשדוחסים אנשים לתוך מסגרות ובכך יוצרים הקשרים חדשים של צורה ושל נוכחות.

כאשר ניגש פרידלנדר לנושא שלו, בחר את כליו בקפדנות מרובה, כדי לא להשאיר מקום למקריות ולהיות בשליטה מוחלטת על תמונותיו לאורך כל הדרך. לכן לא היו לו הפתעות, חוץ מאחת: כסית באמת נראה בצילומים כמו בית־קפה בוהמי בפאריס.

עבודתו של ברי פרידלנדר בכסית בערבי שבתות לא היתה קלה. הוא היה צריך להיאבק כדי להיות מקובל וכדי לכפות את נוכחותו כצלם על המקום. משעלה הדבר בידו, עצם היותו כבר מקודם חלק מן הנוף גרמה למראה הטבעי של הצילומים: אין הצגות מיוחדות עבור המצלמה או למען התמונה. פרידלנדר גם לא יצא לצלם "כוכבים" בסגנון הפפאראזי. את רוב האנשים שבצילומים אנחנו יכולים לזהות מפני שהם פנים מוכרות בנוף האמנותי והאינטלקטואלי, וגם מפני שהם פשוט נמצאים שם. והם גם מוכיחים את אחת הטענות של פרידלנדר, שבוהמה אמיתית אינה קיימת יותר. המיתוס נשאר, אבל המציאות של היום אינה אלא תחליף חיוור למה שהיה.

מוזיאון ישראל, ירושלים

התערוכה והקטלוג התאפשרו תודות לתרומתם של:

ד"ר פול וד"ר הארייט וילנסקי, ניו-יורק
מר נואל לווין, ניו-יורק
משפחת רוברט מנשל, ניו-יורק
משפחת דניאל קאווין, ניו-יורק
מר האנס קלאפר, ניו-יורק
משפחת הארווי קרוגר, ניו-יורק
מר דוד רוטנברג, שיקאגו

אוצר אחראי: ניסן פרץ

עיצוב הקטלוג: אורה יפה
ביצוע גרפי: ריקי קיבל
עריכה לשונית: שרה אורי

סדר: אל-אות בע"מ
הפרדת צבעים: סקנלי בע"מ, תל-אביב
לוחות: טפשר בע"מ, ירושלים
נדפס בדפוס סבינסקי בע"מ, תל-אביב

קטלוג מס' 266, סתיו תשמ"ו
מסת"ב 3 041 278 965
© מוזיאון ישראל, ירושלים, 1985
צילומים: ב' פרידלנדר

ברי פרידלנדר

קפה כסית - צילומים

מוזיאון ישראל
ירושלים